D0526198

Mynd Amdani

Lefel 2: Sylfaen

Mynd Amdani

Lefel 2: Sylfaen

Meleri Wyn James (gol.)

Rhan o gyfres Ar Ben Ffordd

y**L**olfa

Hoffai'r Lolfa ddiolch i:

Elwyn Hughes, Cydlynydd Uwch, Cymraeg i Oedolion, Prifysgol Bangor
Dr Rhiannon Packer, Uwchddarlithydd Cymraeg, Addysg a Dyniaethau, Prifysgol Cymru, Casnewydd
Jane Davies, Tiwtor Cymraeg i Oedolion, Canolfan Morgannwg
Lynne Davies, Swyddog Datblygu Casnewydd, Cymraeg i Oedolion, Canolfan Gwent
David Stansfield, Tiwtor Cymraeg i Oedolion, Prifysgol Caerdydd
Mark Stonelake, Swyddog Cwricwlwm ac Adnoddau, Cymraeg i Oedolion, Prifysgol Abertawe
Steve Morris, Academi Hywel Teifi, Prifysgol Abertawe am ei waith ymchwil ar eirfa graidd
a chylchgrawn *lingo newydd* i ddysgwyr Cymraeg

Argraffiad cyntaf: 2012

Cynhyrchwyd y gyfrol hon gyda chymorth ariannol
Adran AdAS Llywodraeth Cymru

Golygydd: Meleri Wyn James
Cynllun y clawr: Rhys Huws

Rhif llyfr rhyngwladol: 978 1 84771 461 9

Cyhoeddwyd ac argraffwyd yng Nghymru
gan Y Lolfa Cyf., Talybont, Ceredigion, SY24 5HE
e-bost: ylolfa@ylolfa.com
y we: www.ylolfa.com
ffôn: 01970 832304
ffacs: 01970 832782

Ar Ben Ffordd

Darnau difyr i ddysgwyr sy'n dysgu Cymraeg ers blwyddyn neu ddwy neu sy'n dilyn cwrs lefel Sylfaen.

Mynd Amdani (Going For It) ydy'r trydydd llyfr yn y gyfres Ar Ben Ffordd (idiom: to help someone get started).

Mae yma amrywiaeth o ddeunydd ffeithiol a ffuglen, dwys a difyr gyda geiriau ar bob tudalen. Mae'r darnau wedi eu hysgrifennu gan arbenigwyr ym maes dysgu Cymraeg ac awduron adnabyddus fel Bethan Gwanas, Mererid Hopwood ac Euron Griffith.

Elwyn Hughes, Cydlynydd Uwch Cymraeg i Oedolion ym Mhrifysgol Bangor, ydy ymgynghorydd ieithyddol Ar Ben Ffordd.

Am y tro cynta, mae'r gyfres hon yn arwain dysgwyr ymlaen o'r amser pan maen nhw'n dechrau darllen (Lefel 1: Mynediad) at Lefel 2 (Sylfaen), i rai sy'n dysgu Cymraeg ers blwyddyn neu ddwy, a Lefel 3 (Canolradd), i rai sy'n fwy profiadol.

Mae'n rhan o brosiect Llyfrau Darllen Cymraeg i Oedolion AdAS ac yn ymateb i'r angen yn y maes am gyfres o lyfrau darllenadwy i roi hyder i ddysgwyr ar eu siwrnai o un cam i'r nesa.

Darllenwch y gyfres Ar Ben Ffordd i gyd: Lefel 1 (Mynediad): *Camu Ymlaen* a *Ling-di-long*; Lefel 2 (Sylfaen): *Mynd Amdani* a *Nerth dy Draed*; Lefel 3 (Canolradd): *Ar Garlam* a *Cath i Gythraul.*

Enjoyable reading material for learners who have been learning Welsh for a year or two. *Mynd Amdani* is the third book in a series which provides accessible reading material for learners with vocabulary on each page written by experts in the field of Welsh for learners and well-known Welsh authors such as Bethan Gwanas, Mererid Hopwood and Euron Griffith. Elwyn Hughes from the department of Welsh for Adults at Bangor University acts as Ar Ben Ffordd's language consultant.

This is the first series of its kind which aims to start learners on the road to learning Welsh and provide them with the confidence to continue with their journey from Level 1 (Mynediad) to Level 2 (Sylfaen) and 3 (Canolradd).

The Ar Ben Ffordd series includes: Level 1 (Mynediad): *Camu Ymlaen* and *Ling-di-long*; Level 2 (Sylfaen): *Mynd Amdani* and *Nerth dy Draed*; Level 3 (Canolradd): *Ar Garlam* and *Cath i Gythraul.*

Cynnwys

Gog = geiriau sy'n cael eu defnyddio yng ngogledd Cymru/ *words used in north Wales*
De = geiriau sy'n cael eu defnyddio yn ne Cymru/*words used in south Wales*

Cwsg

Dw i angen cwsg.

Ond mae'n amhosib cysgu.

Bwm... bwm... bwmmmmm!

Bob nos. Ie, ond dyna yw'r broblem. Dw i'n byw mewn fflat uwchben clwb nos. Mae'r miwsig yn dechrau am naw ac yn mynd ymlaen tan oriau mân y bore. Dw i yn y gwely yn yr ystafell uwchben y clwb nos. *Bwm... bwm... bwmmmmm!* Mae'n amhosib cysgu. Dw i'n troi ar fy ochr ac yn stwffio'r *duvet* i mewn i fy nghlustiau!

"Hei," dw i'n gweiddi. "Trowch e lawr! Dw i'n trio cysgu!"

Does neb yn fy nghlywed i. Mae'r gerddoriaeth yn rhy uchel. Mae pawb yn dawnsio.

Bwm... bwm... bwmmmmmm!

Dros y ffordd mae siop John Lewis. Mae gwely mawr, moethus yn ffenest y siop. Yn y dydd mae pobl yn edrych arno fe: "Edrychwch ar y gwely moethus yna yn y ffenest. Am wely braf!" medden nhw.

Dw i'n edrych ar y cloc. Tri munud wedi un yn y bore. Dw i'n edrych trwy ffenest y stafell wely. Does neb o gwmpas tu allan i John Lewis. Mae pawb yn y clwb nos yn dawnsio.

Dw i'n mynd allan yn fy mhyjamas Rupert Bear. Dw i'n croesi'r ffordd a sefyll wrth ffenest John Lewis. Dw i'n gweld y gwely moethus.

Gwely braf.

Wrth fy nhroed mae carreg. Dw i'n ei thaflu hi at ffenest John Lewis ac mae'r gwydr yn torri fel rhew. Mewn â fi. Mewn i'r gwely. Dw i'n tynnu'r *duvet* dros fy mhen. Dw i ddim yn clywed y gerddoriaeth nawr. Ond dw i'n clywed sŵn arall. Sŵn seiren. Mae'r heddlu wedi cyrraedd.

"Dere gyda ni," medden nhw.

Dw i yn y gell unwaith eto yn yr orsaf heddlu. Gwely caled, ie… ond gwely *tawel*.

Dyma'r pumed tro i mi wneud hyn wythnos yma. Bydd rhaid i mi ddod o hyd i fflat newydd. Neu fe fydd raid i John Lewis symud y gwely o'r ffenest – un o'r ddau. Wedi'r cyfan, maen nhw wedi cael llond bol ar newid y gwydr.

Nos da.

Euron Griffith

Geiriau
cwsg – *sleep*
uwchben – *above*
oriau mân – *early hours*
gweiddi – *to shout*
uchel – *loud*
moethus – *luxurious*
taflu – *to throw*
dod o hyd i – *to find*
wedi'r cyfan – *after all*

Beth ydy dy hoff air Cymraeg di?

Rosa Martin o'r Creunant ger Castell-nedd:

'Beti'ngalw' ydy fy hoff air i.
Mae e'n ddefnyddiol os 'dych chi ddim yn gwybod sut i ddweud rhywbeth. Er enghraifft, os 'dych chi'n mynd i mewn i siop fara i brynu 'doughnut' 'dych chi'n gallu dweud – "Dw i eisiau beti'ngalw gyda jam yn y canol a siwgr arno fe os gwelwch yn dda!"

Patrick Soper, Hwlffordd:

Wel, dim ond dysgwr dw i, ond beth am…
hyfryd – nid neis
beth bynnag – nid eniwe
ceisio – nid trio
cynorthwyo – nid helpu
boreufwyd – nid brecwast
cyfaill – nid ffrind
heddwas – nid plismon
Cymraeg – nid Wenglish

Clare Cremona, Betws-y-coed:

Fy hoff air Cymraeg i ydy 'goleuni'. Pan dw i'n clywed y gair dw i'n meddwl am olau yn saethu i bob cyfeiriad, fel pelydrau'r haul yn goleuo'r ystafell.

Meic Pickavance, Abertawe:

Fy hoff air i ydy 'twp' achos mae'r gair yn swnio fel yr ystyr – hyd yn oed i bobl sy ddim yn siarad Cymraeg.

Kevin Stanley, Abertawe:

'Ysmygu', achos mae e'n gwneud i arfer ofnadwy swnio'n ddymunol.

Roger Kite, Llanandras, Powys:

Mae'r gair yn dechrau yn y coed ger ein ffermdy ni. Mae'r gair yn dod yn sgil aderyn. Dw i'n hoffi'r gair achos mae'r sŵn yn hardd… cerddorol… rhyfedd… a thrist.
Beth ydy fy hoff air Cymraeg – a beth ydy'r aderyn?
Gwdihŵ, gwdihŵ, gwdihŵ.

Zoë Willicombe o Abertawe:

Fy hoff air i ydy 'enfys' achos dyna enw fy mhlentyn cynta i.
Ces i ddau feichiogrwydd trasig. Felly, hi oedd y pot o aur ar ben yr enfys.

Geiriau

er enghraifft – *for example*
goleuni – *light*
saethu – *to shoot*
i bob cyfeiriad – *in every direction*
pelydr,au – *beam,s*
ystyr – *meaning*
arfer – *habit*
dymunol – *pleasant*
yn sgil – *because of*
cerddorol – *musical*
rhyfedd – *strange*
gwdihŵ – *owl*
enfys – *rainbow*
beichiogrwydd – *pregnancy*
trasig – *tragic*

Blas ei thafod

Aeth Quentin am wersi Cymraeg
Er mwyn gallu deall ei wraig,
   Ond nawr wedi dysgu
   Mae'n dechrau difaru,
'rôl blas o dafod y ddraig!

Gwion Hallam

Geiriau
blas – *taste, a taste of*
er mwyn – *in order (to)*
difaru – *to regret*
draig – *dragon*

Llun: Elwyn Ioan

Cofio Santes Gwenffrewi

Roedd Gwenffrewi yn santes. Winifred ydy Gwenffrewi yn Saesneg. Roedd hi'n byw yn Nhreffynnon yn Sir y Fflint.

Ceisiodd y Tywysog Caradog ei threisio hi. Lladdodd o hi trwy dorri ei phen hi i ffwrdd. Dechreuodd ffynnon ble syrthiodd ei phen hi.

Roedd ei theulu hi yn drist iawn. Gweddïodd Sant Beuno, ei hewythr hi, drosti hi a daeth hi yn ôl yn fyw, yn ôl y stori. Aeth hi i fyw fel lleian am 22 o flynyddoedd a daeth hi'n santes ar ôl ei marwolaeth.

Stori neu hanes gwir? Stori, efallai. Ond roedd Gwenffrewi yn berson go iawn. Mae pobl yn meddwl bod y dŵr yn y ffynnon yn gallu gwella salwch. Mae pererinion Catholig yn mynd i Ffynnon Gwenffrewi ers dros 700 o flynyddoedd.

Llun: Eric Jones

Mae'r ffynnon yn un o Saith Rhyfeddod Cymru. Hi ydy
Lourdes Cymru hefyd! Mae'n bosib gweld baglau yno – mae
pobl wedi eu taflu nhw ar ôl cael eu gwella. Mae adeilad
Ffynnon Gwenffrewi yn dyddio yn ôl i 1490–1500 pan
gafodd ei godi gan yr Arglwyddes Margaret Beaufort, mam
Harri Tudur. Mae'n adeilad hardd iawn. Mae capel wrth
ymyl y ffynnon sy'n dyddio i'r 15fed ganrif. Cafodd ei
atgyweirio yn 1967.

Geiriau
Treffynnon – *Holywell*
tywysog – *prince*
treisio – *to rape*
lladd – *to kill*
ffynnon – *well*
gweddïo drosti – *to pray for her*
lleian – *nun*
go iawn – *real*
gwella – *to cure*
pererin,ion – *pilgrim,s*
Saith Rhyfeddod Cymru – *the Seven Wonders of Wales*
bagl,au – *crutch,es*
adeilad – *building*
dyddio – *to date*
arglwyddes – *lady*
atgyweirio – *to repair*

Geiriau gwirion

Mae geiriau yn bethau rhyfedd. 'Dych chi'n eu defnyddio nhw i ddweud beth 'dych chi eisiau. A, weithiau, 'dych chi'n eu defnyddio nhw i ddweud pethau 'dych chi ddim eisiau dweud! Dyna ddigwyddodd i David Jones un tro...

Ar un adeg, ro'n i'n ysgrifennydd i Gôr Meibion Abercynon. Trefnais i ymweliad â Llydaw. Roedd aelodau'r côr a'u teuluoedd yn aros gyda theuluoedd yn Llydaw.

Roedd fy ngwraig a fi yn aros gyda theulu 'Le Guen'. Odette oedd y fam ac Arzhel oedd y tad. Nathalie, Jean Charles a Valérie oedd eu plant nhw.

Roedd Valérie yn un ar ddeg oed ac roedd hi'n dysgu Saesneg yn ei hysgol hi. Doedden ni ddim yn siarad Llydaweg na Ffrangeg. A doedd teulu Le Guen ddim yn siarad Cymraeg. Felly, roedden ni'n siarad Saesneg gyda'r teulu trwy Valérie.

Ar y noson gynta, paratôdd Odette swper. Y cwrs cynta oedd reis, darnau o bysgod a saws coch. Roedd Odette yn edrych yn nerfus iawn.

Dwedais wrth fy ngwraig i, "Mae Odette yn nerfus am y bwyd. Rhaid i ni ddweud rhywbeth da am y bwyd."

Meddai fy ngwraig i: "Beth? Dw i ddim yn gwybod un gair o Ffrangeg." Dwedais i, "Gofynna, 'Oes paprika yn y bwyd?' a phwyntia at y bwyd." Dwedodd fy ngwraig i wrth Odette, "Mmm, mae'r bwyd yn neis iawn. Oes paprika yn y bwyd?"

Roedd distawrwydd o gwmpas y bwrdd. Yn sydyn, dechreuodd pawb yn y teulu siarad. Wedyn daeth distawrwydd eto.

Dwedais i wrth fy ngwraig, "O-o, mae problem fawr gyda ni."

Roedd Valérie yr ochr arall i'r bwrdd. Roedd hi'n edrych arna i. Roedd hi'n ceisio meddwl am rywbeth i'w ddweud yn Saesneg. Yna, dywedodd hi, "Paprika ydy enw ein cath ni."

Geiriau

gwirion – *silly*
digwydd – *to happen*
ar un adeg – *at one time, once*
Llydaw – *Brittany*
aelod,au – *member,s*
darn,au – *piece,s*
saws – *sauce*
distawrwydd – *silence*
ochr – *side*

Chwilair

Mae Sara yn dathlu ei phen-blwydd yn y bwyty lleol. Dyma rai geiriau sy angen arni hi...

1. Gweinydd 2. Bwrdd 3. Bwydlen 4. Cwrs cynta
5. Prif gwrs 6. Pwdin 7. Diod feddal 8. Gwin 9. Coffi
10. Bil

C	W	R	S	C	Y	N	T	A	R
G	W	E	I	N	Y	Dd	F	G	W
C	D	P	I	R	B	I	R	B	S
O	P	W	D	I	N	B	M	W	E
Ff	G	Y	A	B	W	W	R	Y	Dd
I	G	L	A	Dd	C	R	S	D	B
D	I	O	D	F	E	Dd	A	L	W
B	W	Ch	L	G	W	I	N	E	S
P	R	I	F	G	W	R	S	N	T

Geiriau
dathlu – *to celebrate*
gweinydd – *waiter*
meddal – *soft*

"Fi sy'n cael y bai!"

"Fi sy'n cael y bai bob tro," meddai Alwyn. "Bob tro."

"Dwyt ti ddim yn iawn…" meddai Siân. "'Dyn ni ddim yn rhoi'r bai arnat ti bob tro…"

"Fi sy'n cael y bai rŵan…"

"Rwyt ti'n iawn… rwyt ti yn cael y bai rŵan."

"Hmm!" meddai Alwyn. Roedd o'n teimlo'n hapus. Roedd o'n mynd i sgorio pwynt. Roedd Mam yn cytuno mai fo oedd yn cael y bai y tro yma. Meddyliodd o am funud…

"Ond, nid fi wnaeth!" meddai o'n gyflym.

Edrychodd Mam draw i'r gadair. Edrychodd hi ar y gadair newydd sbon. Edrychodd hi ar y defnydd coch newydd sbon. Gwelodd hi y marc hir ar draws y defnydd coch, marc hir o olew du, marc du siâp cadwyn beic. Edrychodd ar ddillad Alwyn. Edrychodd Alwyn ar ei ddillad o. Roedd marciau hir ar draws ei drowsus o, marciau hir o olew du, marciau du siâp cadwyn beic.

Roedd rhaid iddo fo feddwl yn gyflym. Roedd rhaid iddo fo feddwl yn gyflymach na Mam.

Pam Thomas

Geiriau

bai – *blame*
bob tro – *every time*
newydd sbon – *brand new*
defnydd – *material*
cadwyn – *chain*

Ti'n jocan

Beth ydy jôc dda?

Dyma mae un o actorion doniol gorau Cymru yn ei ddweud. "Does dim ateb!" meddai Emyr Wyn. "Mae pobl yn chwerthin am bethau gwahanol."

Unwaith, roedd e'n actio gweinidog gwirion iawn ar y teledu. Doedd pobl y capel ddim yn hoffi hynny.

Mae'n fwy anodd gwneud i bobl chwerthin yn Gymraeg, meddai. Rhaid trio plesio pawb.

Iddo fe, mae dau beth sy ddim yn ddoniol – pobl anabl a gwneud hwyl am ben Duw. Mae'n iawn gwneud jôcs am weinidogion, ond nid Duw.

Geiriau
jocan (de) = jocio (gog) – *to joke*
gwahanol – *different*
gweinidog,ion – *minister,s*
gwneud hwyl am ben – *to poke fun at*

Mae'n bwysig gweld ochr ddoniol bywyd. Dyna mae Dewi Pws yn ei ddweud. Mae *Llyfr Jôcs y Lolfa* yn llawn jôcs, cerddi gwirion a stwff gan Dewi Pws.

Cnoc cnoc.
Pwy sy 'na?
Mai.
Mai pwy?
Mae'n rhaid i ti agor y drws!

Cnoc cnoc.
Pwy sy 'na?
Rhodri.
Rhodri pwy?
Rho dri deg punt i mi.

I ble yng Nghymru mae defaid yn hoffi mynd ar eu gwyliau?
Y Baaala!

Beth sy'n fawr ac yn goch iawn, iawn?
Eliffant sy ddim yn anadlu.

Beth sy'n goch, gwyn a gwyrdd ac yn wlyb?
Mr Urdd mewn pwll nofio.

Pa dîm pêl-droed sy'n blasu'n dda?
Aston Fanila!

Beth wyt ti'n galw Jac Codi Baw cyfeillgar?
Jac codi llaw!

Beth yw hoff fwyd lladron?
Bîff byrglars!

Beth wyt ti'n galw postman o'r Iseldiroedd?
Vincent Fan Goch.

Beth wyt ti'n galw dyn tân o Wlad Pwyl?
Ifan Watsia–losgi.

Beth ddigwyddodd i'r bachgen roiodd ei ben yn y tostiwr?
Cafodd e ben tost!

Geiriau
cerdd,i – *poem,s*
anadlu – *to breathe*
blasu – *to taste*
cyfeillgar – *friendly*
lleidr, lladron – *thief, thieves*
Iseldiroedd – *the Netherlands*
Gwlad Pwyl – *Poland*

Dynes yr anifeiliaid

Mae Sue Coleman wrth ei bodd efo anifeiliaid… mae hi'n gofalu am anifeiliaid yn y Sŵ Fynydd Gymreig ym Mae Colwyn… ac yn ei chartre hi…

Mae Sue Coleman wedi cadw anifeiliaid erioed… anifeiliaid cyffredin i ddechrau… fel cŵn a chathod… Yna, dechreuodd hi a'i brawd weithio yn y sŵ. Yn sydyn, roedd pob math o anifeiliaid 'gwahanol' yn eu cartre nhw…

"Unwaith, roedd crocodeil yn ein bath ni!" meddai Sue.

"Un diwrnod, daeth fy nhad i adre o'r gwaith efo ystlum. 'Paid â phoeni,' meddai Dad, 'mae o'n cysgu'n drwm.'

"Ond deffrodd yr ystlum a dianc. Daeth Mam o hyd iddo yn y gwely!"

Aeth hi i Ysgol Uwchradd Bae Colwyn a phan symudodd y teulu i Dde Affrica aeth hi i Brifysgol Natal i astudio Bioleg a Chemeg. Pan oedd Sue yn byw yn Ne Affrica, roedd hi'n gweld anifeiliaid gwyllt yn eu cynefin. Yn yr Unol Daleithiau, gwelodd hi aligator, arth a byffalo.

"Dw i'n hoffi pob anifail ond dw i'n hoff iawn o adar a lemyriaid," meddai Sue sy'n dysgu plant am anifeiliaid yn Saesneg ac yn Gymraeg. "Mae gynnon ni lawer o anifeiliaid gartre, gan gynnwys neidr, crwbanod a tarantwlaod."

Daeth sŵ Bae Colwyn yn Sŵ Genedlaethol Cymru yn 2008. Gallwch chi weld pob math o anifeiliaid o dros y byd a mwynhau parêd y pengwiniaid a chyfarfod â'r tsimpansî.

Geiriau

cyffredin – *ordinary, common*
ystlum – *bat*
cysgu'n drwm – *to sleep tightly*
dianc – to *escape*
Cemeg – *Chemistry*
cynefin – *habitat*
Unol Daleithiau – *United States*
arth – *bear*
lemyr,iaid – *lemur,s*
neidr – *snake*
crwban,od – *tortoise,s*
Cenedlaethol – *National*

Pen-droni

"O diar," meddai Sally gan chwilio drwy ei bag. "Dw i ddim yn gallu dod o hyd i fy mhen."

Edrychodd Gareth arni hi ar draws yr ystafell seminar. Doedd hi ddim yn edrych fel tasai hi wedi colli'i phen. Roedd ei phen ar ei hysgwyddau hi. A dyna oedd pen bach pert.

"Roedd fy mhen i gyda fi pan es i allan o'r tŷ," meddai Sally.

"Mae gyda fi ddau ben," meddai Dora, ond wnaeth hi ddim cynnig un i Sally.

"Mae gyda fi baced o bennau," meddai Rhys, a wnaeth e ddim cynnig un i Sally chwaith.

"Un pen sy gyda fi," meddai Penri a dangos pen inc oedd yn edrych yn ddrud iawn. "Ond mae e'n un da dros ben."

"Ga i fenthyg un o dy bennau di?" gofynnodd Sally i Rhys. "Dw i ddim yn gallu gwneud dim byd heb ben."

Gwir iawn, meddyliodd Gareth. Beth allwch chi wneud heb ben?

Edrychodd Gareth ar Sally eto. Roedd yn breuddwydio am ei dal hi yn ei freichiau. Roedd yn breuddwydio am redeg ei fysedd e drwy'r gwallt aur ar ei phen hardd hi.

Pen bendigedig oedd gan Sally. Roedd ei phen yr un mor hardd â'r tro cynta i Gareth ei weld, y diwrnod cynta yn y coleg. Roedd wyneb Sally yn harddach nag unrhyw wyneb a welodd e erioed o'r blaen. Ac ar ei hwyneb hi, roedd ei gwefusau coch hi yn troi coesau Gareth yn jeli gwan. Roedd ei llygaid glas hi yn ei rwydo fe ers iddo ei gweld hi am y tro cynta.

Dyna beth yw pen, meddyliodd Gareth.

"Pwy anghofiodd ddod â'i ben i wers ysgrifennu stori?" gwenodd y darlithydd. "Mae'n rhaid cael pen i ysgrifennu."

"Pen bach neu ben mawr?" gofynnodd Penri. Roedd Penri'n hoffi meddwl ei fod e'n ddigri.

"Pen bach, pen mawr. Mae'r ddau rhywbeth yn debyg yn Gymraeg," meddai'r athro.

"Pen glas neu ben du 'te?" gofynnodd Penri eto.

"Pen coch i mi bob amser," gwenodd yr athro. "Pen coch prysur iawn."

"Oes gan *rywun* ben i mi?" gofynnodd Sally. Roedd hi wedi blino ar yr holl siarad. "Dw i wedi colli fy mhen i."

"A finnau hefyd," meddai Gareth gan wenu'n freuddwydiol arni hi. "Wedi colli fy mhen i'n llwyr."

Lleucu Roberts

Geiriau
pendroni – *to think, wonder, puzzle*
chwilio – *to look for*
cynnig – *to offer*
breuddwydio – *to dream*
hardd – *beautiful*
gwefus,au – *lip,s*
rhwydo – *to snare*
yn debyg – *alike*
yn llwyr – *completely*

Derek Brockway – y tywydd a dysgu Cymraeg

O ble 'dych chi'n dod yn wreiddiol?
O'r Barri ond dw i'n byw ym Mhontyclun nawr.

Sut 'dych chi'n ymlacio?
Dw i'n chwarae tennis a sboncen. Dw i'n hoffi cerdded a dw i'n hoffi teithio.

Pwy sy yn eich teulu chi?
Fy mam a fy nhad, un brawd ac un chwaer.

'Dych chi'n nerfus yn darlledu'n fyw?
Mae pethau'n gallu newid yn gyflym ar deledu byw. Mae'n rhaid i chi feddwl ar eich traed.

Mae pobl yn meddwl fy mod i'n dod i'r gwaith erbyn pump o'r gloch y prynhawn ond dw i'n gweithio diwrnod llawn ar fy nghyfrifiadur, yn gwneud y siartiau tywydd. Dw i'n cael fy nghyflogi gan y Met Office ond mae BBC Cymru yn fy menthyg i.

Oes rhywbeth yn mynd o'i le weithiau?
Oes, amser Cwpan Rygbi'r Byd yn 1999, roeddwn i ar fws agored yn siarad am y tywydd ac yn dal ymbarél fawr. Wrth i fi ddweud y geiriau "hyrddiau o wynt" hedfanodd yr ymbarél i ffwrdd. Trwy lwc, chafodd neb ddolur.

Beth sy'n gwneud dyn neu ddynes tywydd da?

Rhaid bod â synnwyr digrifwch a chroen tew. Mae pobl yn cofio pan 'dych chi'n anghywir am y tywydd – 'dyn nhw ddim yn cofio pan 'dych chi'n iawn!

'Dych chi'n hoffi hwyl hefyd...

Ydw. Dw i wedi gwisgo fel draig goch, Guto Ffowc a Darth Vader ar y rhaglen dywydd.

'Dych chi'n dysgu Cymraeg. Sut mae'n mynd?

Dydy e ddim yn hawdd. Mae gwneud camgymeriadau yn rhan o ddysgu. Mae'n rhaid i chi beidio â phoeni.

Dw i'n brysur iawn o ddydd Llun i ddydd Gwener, ond dw i wedi dod o hyd i gwrs gyda'r nos trwy Brifysgol Caerdydd. A dw i'n mynd i dafarn Gymraeg yng Nghaerdydd i archebu peint.

Sut dechreuodd eich diddordeb chi?

Doedd fy rhieni i ddim yn siarad Cymraeg, ond roedd fy mam-gu i'n dod o Aberteifi ac roedd hi'n siarad Cymraeg. Fe wnes i Lefel O Cymraeg.

Heddiw, byddwn i wedi mynd i ysgol Gymraeg. Byddai e'n agor cymaint o ddrysau. Gallwch chi ddysgu cymaint mwy am ddiwylliant a hanes Cymru.

Geiriau

sboncen – *squash*
darlledu – *to broadcast*
siart,iau – *chart,s*
cyflogi – *to employ*
mynd o'i le – *to go wrong*
hyrddiau o wynt – *gusts of wind*
bod â synnwyr digrifwch – *to have a sense of humour*
anghywir – *wrong*
Guto Ffowc – *Guy Fawkes*

Sut berson ydy dysgwr Cymraeg?

Cafodd yr arolwg hwn ei gyhoeddi ar Ebrill y 1af.

Mae cwmni Belwff wedi holi mil o ddysgwyr o bob rhan o
Gymru. Roedden nhw'n gofyn iddyn nhw am
eu bywyd personol
beth maen nhw'n ei hoffi
beth 'dyn nhw ddim yn ei hoffi
a llawer o bethau eraill.

"Roedden ni eisiau ffeindio allan sut berson ydy'r dysgwr
Cymraeg," meddai'r cwmni.

Dyma maen nhw'n ei ddweud am ddysgwyr:

Mae e (neu hi, wrth gwrs!) yn byw mewn bynglo.
Gwyrdd ydy ei hoff liw e.
Mae ci mawr blewog gyda fe.
Mae e'n hoffi pysgod i de.
Dydy e ddim yn hoffi canu hip hop.
Mae e wrth ei fodd gyda'r Eisteddfod a'i uchelgais ydy ennill
gwobr am ysgrifennu barddoniaeth.

Arolwg pwysig

Mae'r arolwg yn bwysig iawn. Bydd y wybodaeth yn arwain
polisi dysgu Cymraeg.

Bydd cloriau llyfrau dysgwyr yn wyrdd o hyn ymlaen a
bydd llawer o straeon am gŵn.

"'Dyn ni'n gwybod nawr bod dim angen dysgu llawer
am risiau a llofftydd, achos mae llawer o ddysgwyr yn byw
mewn bynglos," meddai'r cwmni.

"Cofiwch, 'dyn ni ddim yn dweud bod ci mawr blewog
gyda phob dysgwr. Mae pysgodyn bach moel gyda rhai."

Barn y dysgwyr

Mae rhai dysgwyr yn flin iawn am yr arolwg.

"Mae e'n sarhad," meddai Jac Acroid, dysgwr Cymraeg. "Maen nhw'n trio rhoi dysgwyr mewn twll colomen!

"Beth os 'dych chi ddim yn hoffi gwyrdd? 'Dych chi ddim yn cael dysgu Cymraeg?"

Ond mae cwmni Belwff yn dal eu tir. "'Dyn ni wedi gwneud ein gwaith cartre yn dda," meddai'r cwmni ar Ebrill y 1af. "Allwch chi ddim dadlau gyda'r arolwg."

Geiriau
sut berson? – *what kind of person?*
arolwg – *survey*
holi – *to question*
uchelgais – *ambition*
barddoniaeth – *poetry*
arwain – *to inform, lead*
clawr, cloriau – *cover,s*
o hyn ymlaen – *from now on*
llofft,ydd – *room,s upstairs*
blin – *cross*
sarhad – *insult*
twll colomen – *pigeon hole*
dal eu tir – *to hold their ground*
allwch chi ddim dadlau – *you can't argue*

Y parti

Roedd ei chalon wedi suddo pan glywodd eiriau'r athrawes, "Mae'r parti Nadolig yn y Llew Coch am saith o'r gloch ar Ragfyr y degfed. Cofiwch ddod achos bydd Mr X yno!"

Roedd yn gas ganddi bartïon, un swil iawn oedd hi erioed. Beth fyddai hi'n ei wneud yn y parti? Eistedd mewn cornel â gwên wirion ar ei hwyneb? Aros am gyfle i fynd allan yn ddistaw bach heb i neb ei gweld hi?

"Dyma'r fwydlen ac mae eisiau £10 o flaendal."

Roedd yn haws talu'r blaendal na gwrthod y gwahoddiad. Gwrthod y gwahoddiad o flaen pawb. Nawr roedd diwrnod y parti wedi cyrraedd ac roedd hi'n difaru. Sut gallai hi ddianc? Doedd dianc ddim yn bosib.

Cofiodd am eiriau ei mam-gu, "Mewn sefyllfa anodd, rhaid i ti esgus bod yn rhywun arall."

Edrychodd yn y drych. Gwelodd wyneb canol oed, llwyd, tenau yn syllu 'nôl arni hi. Roedd ei llygaid glas tywyll yn eitha deniadol. Roedd hynny'n wir. Ond roedd ei gwallt golau wedi ei dynnu 'nôl yn dynn gan fand gwallt. Ac, erbyn hyn, roedd sawl blewyn gwyn ynddo fe. Pwy arall allai hi fod? Twiggy efallai? Na, roedd hi'n rhy dew. Beth am Meryl Streep neu Joanna Lumley? Unrhyw un ond Christine Williams ddiflas.

A beth oedd hi'n mynd i'w wisgo? Agorodd y cwpwrdd a syllodd ar ei dillad prin. Dim ond un ffrog ddu oedd yn addas ac roedd hi mor hen ag Adda! Cymerodd anadl fawr. Dim ond un peth amdani. Oedd, roedd hi'n mynd i esgus bod yn rhywun arall. Felly, roedd yn rhaid iddi edrych fel rhywun arall! Hanner awr wedi naw o'r gloch y bore oedd hi. Roedd ganddi naw awr i newid! Aeth i nôl ei cherdyn banc, gwisgodd ei chot ac i ffwrdd â hi i'r dre.

Clywodd lais Huw Edwards ar y teledu yn ei deffro. Daeth â hi 'nôl i'r presennol. Nawr roedd hi'n ddeg o'r gloch y nos a hithau'n eistedd ar y soffa yn ei ffrog ddu newydd. Chafodd neb gyfle i ddweud eu bod yn hoffi ei gwallt byr newydd. Christine Williams swil oedd hi o hyd – er y dillad newydd a'r steil gwallt a'r colur. Aeth hi ddim i'r parti. A, mwy na thebyg, doedd neb wedi gweld ei heisiau hi…

"Dawel nos, sanctaidd yw'r nos…"

Carolwyr wrth y drws. Y Clwb Ffermwyr Ifanc a Merched y Wawr oedd yn arfer canu carolau. Aeth i nôl ei bag ac agorodd y drws.

"Nadolig Llawen, Christine! Gwelon ni dy eisiau di yn y parti. Felly, 'dyn ni wedi dod â'r parti atat ti! Mae Mr X yn dy nabod di, mae'n debyg. Roeddech chi yn yr ysgol gyda'ch gilydd ac mae e'n dy gofio di'n iawn…"

Margarette Hughes

Geiriau

suddo – *to sink*
blaendal – *deposit*
gwahoddiad – *invitation*
drych – *mirror*
syllu – *to stare*
deniadol – *attractive*
blewyn – *a strand of hair*
addas – *suitable*
Adda – *Adam*
cyfle – *opportunity*
colur – *make-up*
sanctaidd – *holy*
carolwyr – *carol singers*
Clwb Ffermwyr Ifanc – *Young Farmers Club*
gweld eisiau – *to miss someone*

Stori Rhys a Meinir

Pentre bach ydy Canolfan Iaith Nant Gwrtheyrn ac mae'n lle da i ddysgu Cymraeg. Mae Janet Street-Porter a Tanni Grey-Thompson wedi bod yno. Mae'n lle da am straeon hefyd...

Roedd Rhys a Meinir yn byw yn Nant Gwrtheyrn. Roedd y ddau'n hapus iawn achos roedden nhw'n mynd i briodi.

Amser maith yn ôl, roedd y briodferch yn mynd i guddio ar ddiwrnod ei phriodas. Yna, roedd ffrindiau'r priodfab yn mynd i chwilio am y briodferch ac, ar ôl dod o hyd i'r ferch, roedden nhw'n mynd â hi i'r eglwys.

Felly, ar ddiwrnod y briodas aeth Meinir i guddio. Gwelodd hi goeden fawr.

Aeth y bechgyn i chwilio am Meinir. Chwilion nhw a chwilion nhw. Ond doedden nhw ddim yn gallu dod o hyd i Meinir. Doedd dim priodas y diwrnod hwnnw.

Roedd Rhys yn drist iawn. Roedd o'n mynd i chwilio am Meinir yn aml – ond doedd o ddim yn gallu dod o hyd iddi hi. Yna, un diwrnod roedd hi'n stormus iawn. Yn sydyn, cafodd coeden ei tharo gan fellten. Beth oedd yn y goeden? Sgerbwd Meinir. Roedd hi wedi cuddio yn y goeden ar ddiwrnod y briodas. Torrodd Rhys ei galon a buodd o farw.

Geiriau

straeon – *stories*
amser maith yn ôl – *a long time ago*
priodferch – *bride*
priodas – *wedding*
priodfab – *groom*
taro – *to strike*
mellten – *thunderbolt*
sgerbwd – *skeleton*
buodd o farw – *he died*

Nant Gwrtheyrn heddiw

Mae Nant Gwrtheyrn yn hen bentre a chwarel ym Mhenrhyn Llŷn, gogledd Cymru.

Gallwch chi ddysgu am hanes yr iaith a diwylliant Cymraeg. Mae yna fythynnod i bobl aros ynddyn nhw, caffi o'r enw Caffi Meinir a thraeth wrth ymyl.

Mae golygfeydd hyfryd, felly mae pobl yn mynd yno i briodi a chael cynadleddau. Mae croeso i ymwelwyr hefyd.

Cymerodd hi ddwy flynedd i wneud y gwaith gwella ar gost o dros 4 miliwn o bunnoedd.

"Mae cael pobl i ddysgu'r Gymraeg yn bwysig i ni ac mae dysgwyr yn dod yma drwy'r flwyddyn," meddai David Hedley Williams, Prif Diwtor Canolfan Nant Gwrtheyrn.

Mae pobl yn byw yn ardal Nant Gwrtheyrn ers Oes yr Haearn. Y brenin Brythonig Gwrtheyrn oedd y cynta i fyw yn y pentref yn y bumed ganrif, medden nhw. Yn ystod y 19eg ganrif dechreuodd pobl gloddio am ithfaen yn Nant Gwrtheyrn. Yna, yn 1970, symudodd y meddyg Carl Clowes i'r ardal o Fanceinion. Roedd o isio i'w blant o siarad Cymraeg. Prynodd o hen bentref Nant Gwrtheyrn a'i droi'n ganolfan iaith i oedolion ddysgu Cymraeg.

Geiriau

chwarel – *quarry*
penrhyn – *peninsula*
diwylliant – *culture*
bwthyn, bythynnod – *cottage,s*
cynhadledd, cynadleddau – *conference,s*
gwella – *to improve*
Oes yr Haearn – *Iron Age*
Brythonig – *Old British*
canrif – *century*
cloddio – *to dig*
ithfaen – *granite*

10 cwestiwn Ruth Jones

Mae Ruth Jones yn actores enwog. Mae hi'n enwog am chwarae Nessa yn y gyfres deledu *Gavin & Stacey*. Hi ysgrifennodd y gyfres hefyd gyda James Corden, y comedïwr. Mae hi'n rhedeg Tidy Productions gyda'i gŵr hi, David Peet, ac mae'n chwarae'r brif ran yn y gyfres *Stella* ar Sky 1 yn 2012.

Pwy sy yn eich teulu chi?
Fy ngŵr i a thri o lysblant.

O ble 'dych chi'n dod yn wreiddiol?
Dw i'n ferch o Borthcawl. Dw i'n byw yng Nghaerdydd nawr.

'Dych chi'n actores. Beth ydy'r peth gorau am eich gwaith chi?
Dydy e byth yn ddiflas. Dw i'n cyfarfod â phobl newydd drwy'r amser. Mae chwarae rhannau gwahanol yn ddiddorol hefyd.

Beth ydy'r peth gwaetha am eich gwaith chi?
Weithiau, dw i'n teimlo'n drist pan mae rhaid i fi aros oddi cartre. Roeddwn i wrth fy modd pan o'n i'n actio yn *Educating Rita* yn Theatr y Sherman yng Nghaerdydd. Roeddwn i'n gallu mynd adre bob nos.

Beth ydy'ch trysor mwya chi? (Dim y teulu)
'Dyn ni newydd symud tŷ ac mae e'n wych!

Pa waith arall hoffech chi ei wneud?

Hoffwn i fod yn gofrestrydd priodasau. Dw i wrth fy modd gyda phriodasau. Dw i'n berson rhamantus. Y broblem ydy – baswn i'n crio. Fasai hynny ddim yn edrych yn dda!

Beth sy'n eich gwneud chi'n hapus?

Gweld pobl ar eu gorau. Mae'n hyfryd gweld pobl yn gofalu am ei gilydd.

Beth ydy eich ofn mwya chi?

Dw i ddim yn edrych ymlaen at fynd yn hen. Ond mae e'n digwydd i bawb!

Pa ddeddf hoffech chi ei phasio?

Gwneud aros yn y lôn gyflym yn anghyfreithlon… a gwahardd camerâu sbîdio.

Sut 'dych chi eisiau i bobl eich cofio chi?

Pum troedfedd ac wyth modfedd a maint deg. Ha ha ha!

Geiriau

prif ran – *main character*
llysblant – *stepchildren*
rhan,nau – *part,s*
oddi cartre – *away from home*
trysor – *treasure*
rhamantus – *romantic*
deddf – *law*
lôn gyflym – *the fast lane*
anghyfreithlon – *illegal*
gwahardd – to *ban*
troedfedd – *foot* (measurement)
modfedd – *inch*
maint deg – *size ten*

Y ci drwg

Ci ydw i. Ci gydag un llygad las ac un llygad frown; dyna pam ces i fy ngalw yn Han. Dw i'n hanner-hanner, a hanner hanner ydy 'han'. Merch glyfar ydy Mari, fy mherchennog i. Dw i'n caru Mari yn fwy na dim, yn fwy na darn mawr o gig coch, hyd yn oed. Mae hi'n mynd â fi am dro bob bore a nos ac yn rhoi bwyd i mi bob dydd. Mae hi'n cosi fy mol – a fy hoff beth i – yn cosi tu ôl i fy nghlustiau i.

Dim ond Mari a fi sy'n byw yn ein tŷ ni. Mae dynion yn dod acw weithiau, ond does neb yn aros yn hir iawn. Dw i ddim yn hoffi gweld dynion yn cyffwrdd â Mari.

Mae rhai dynion yn gwenu arna i ond dw i ddim yn gwenu'n ôl. Mae'n rhaid iddyn nhw brofi eu bod nhw'n ddigon da i Mari yn gynta. Mae gan rai arogl drwg, nid 'drwg' drewllyd, ond 'drwg' drwg – arogl person cas. Dw i'n cyfarth ar y rheiny, yn dangos fy nannedd. Mae Mari'n gweiddi:

"Na, Han, hisht! Paid, Han!" Ac yn troi at y dyn a dweud: "Mae'n ddrwg gen i, dydy o ddim fel hyn fel arfer… Han! Paid â bod yn gas!" Ond dw i'n gwybod yn well na Mari a dw i ddim yn gadael y dyn i mewn i'r tŷ.

Ond os nad oes arogl rhy ddrwg ar y dyn, dw i'n ei adael i mewn. Dw i'n gadael iddo fo eistedd ar y soffa, ond yn ei wylio fo'n ofalus. Ac os ydy o'n edrych ar Mari mewn ffordd… wel, amharchus… dw i'n sgyrnygu. Mae'n rhaid dangos pwy ydy'r bòs.

Mae Mari'n crio weithiau ar ôl iddyn nhw adael, ond dwi'n rhoi fy mhen ar ei chôl ac yn llyfu ei hwyneb. Wedyn, mae hi'n gwenu arna i a dweud: "O, Han…"

Ond bythefnos yn ôl, daeth dyn efo arogl da gartre efo hi. Aeth o ar ei liniau yn syth, gwenu a dweud:

"Helo Han! Sut wyt ti, boi?" Es i ato fo yn ofalus. Roedd

gynno fo lygaid caredig. Ar ôl awr, wnes i adael iddo fo gosi fy mol, ond gadael blew dros ei drowsus du wrth iddo fo adael. Mae hynny'n ormod i rai dynion.

Ond daeth hwn yn ôl, eto ac eto. 'Dyn ni wedi bod am dro ac mae'n hapus i daflu pêl i mi, eto ac eto. Ond heno, gwelais i o'n llyfu wyneb Mari. Dim ond fi sy'n cael llyfu Mari! Felly, brathais i ei ffêr.

Mae Mari'n crio eto. Ond bydd hi'n gwenu arna i eto'n fuan… ar ôl iddi orffen siarad ar y ffôn. Efallai mai math o fwyd ci newydd, blasus ydy 'RSPCA'?

Bethan Gwanas

Geiriau
perchennog – *owner*
cosi – *to tickle*
dod acw (gog) = dod draw i'r tŷ (de) – *to come over (to the house)*
cyffwrdd â – *to touch*
profi – *to prove*
arogl – *smell*
drewllyd – *smelly*
cyfarth – *to bark*
y rheiny – *them*
amharchus – *disrespectful*
côl – *lap*
llyfu – *to lick*
ar ei liniau – *on his knees*
brathu (gog) = cnoi (de) – *to bite*
ffêr – *ankle*
math – *type*

Anghofio Dewi?

'Dach chi'n Gymro neu'n Gymraes drwy'r flwyddyn? Os felly, does dim angen dathlu Dydd Gŵyl Dewi. Dyna mae rhai pobl yn ei feddwl.

Maen nhw'n dweud, "Mae digwyddiadau Dydd Gŵyl Dewi yn hen ffasiwn. Maen nhw'n ddosbarth canol."

Mae rhai pobl yn mynd i gyngerdd; mae rhai pobl yn mynd i ddawnsio gwerin neu maen nhw'n bwyta cawl. Ond ydy hi'n bryd i ni ddechrau meddwl am syniadau newydd i gofio am nawddsant Cymru?

Mynach oedd Dewi ac roedd e'n byw bywyd syml. Ond roedd e'n berson mentrus hefyd. Roedd e'n teithio'n bell i ddweud wrth bobl am Iesu Grist.

Mae rhai pobl yn dweud, "Mae'n bwysig cofio beth wnaeth Dewi. Mae eisiau cael Gŵyl Banc ar Ddydd Gŵyl Dewi."

Ond wedyn fasai plant ddim yn gwisgo gwisg Gymreig a chennin Pedr i fynd i'r ysgol ar Fawrth y 1af. Fasai dim gwersi am Dewi Sant ac, efallai, dim eisteddfodau.

Geiriau

hen ffasiwn – *old fashioned*
dosbarth canol – *middle class*
gwerin – *folk*
nawddsant – *patron saint*
mynach – *monk*
mentrus – *adventurous*
cennin Pedr – *daffodils*

'Dych chi'n dathlu Dewi?

"Ces i fy magu yng Ngheredigion," meddai Rhiannon Humphreys sy'n 44 oed ac yn dod o Lanbedr Pont Steffan, Ceredigion, yn wreiddiol. "Roeddwn i'n dathlu gyda'r capel ac roedd rhywun yn dod i siarad â ni. Yna, roedd pawb yn bwyta cawl, pwdin reis a bara brith."

Nawr mae hi'n byw ym Mhentre'r Eglwys ger Pontypridd ac yn dathlu Dydd Gŵyl Dewi o hyd. "Mae clwb ieuenctid Capel y Tabernacl, Pentyrch, yn cael twmpath dawns. Mae'r bobl ifanc yn trefnu. Wedyn, 'dyn ni'n bwyta cawl."

"Dw i'n cael fy mhen-blwydd ar Ddydd Gŵyl Dewi a bob blwyddyn dw i'n cael dathliad dwbl efo fy ffrindiau i," meddai Delyth Wyn Jones sy'n 35 oed.

"Dw i'n athrawes mewn ysgol gynradd yn y Barri. 'Dyn ni'n cael eisteddfod ysgol. Byddai hi'n drist iawn i golli hynny."

Mae Luned González yn mwynhau dathlu Dewi – ar ochr arall y byd. Mae hi'n 72 oed a chafodd hi ei geni a'i magu yn y Gaiman yn y Wladfa ym Mhatagonia.

"Mae mwy o bobl ifanc yn dysgu Cymraeg yn ddiweddar, ac mae mwy o bobl yn sôn am Dewi Sant. Mae hyd yn oed yr orsaf radio yn Nhrelew yn sôn am y diwrnod. Yn Chubut, mae dwy gymdeithas Dewi Sant.

"Eleni, 'dyn ni'n cael Noson Lawen neu gyngerdd yn Hen Gapel y Gaiman ac mae popeth yn Gymraeg."

Geiriau

clwb ieuenctid – *youth club*
twmpath dawns = dawnsio gwerin – *folk dancing*
dathliad dwbl – *a double celebration*
y Wladfa – *the Welsh settlement in Patagonia*
yn ddiweddar – *recently*
sôn am – *to talk about, mention*

A gymri di Gymru?

A gymri di'r byd
  A'i holl ryfeddodau,
Yr haul a'r sêr,
  Y pysgod a'r blodau?
A gymri di'r gwledydd
  O bob lliw a llun?
A gymri di Gymru –
  Dy wlad dy hun?

A gymri di'r bryniau
  A'r môr a'r afonydd,
Y trefi a'r traethau
  Bychain, llonydd?
A gymri di'r bobl
  Gynhesa'n y byd?
A gymri di Gymru –
  A'i chymryd i gyd?

A gymri di'r cymoedd
  A'r siopau betio
A'r capeli gwag –
  A lanwan nhw eto?
A gymri di'r Steddfod
  A Stiniog, a'r glaw?
A gymri di Gymru
  Beth bynnag a ddaw?

Robat Gruffudd

Geiriau

A gymri di – *will you take*
rhyfeddod,au – *marvel,s*
bychain – *small*
llonydd – *still*
a lanwan nhw – *will they be full*
beth bynnag a ddaw – *whatever will be*

Llun: Anthony Evans

Aw! Dw i angen deintydd!

Mae Luc Evans yn ddeintydd ac yn feddyg. Mae e'n dod o Gwmparc yn y Cymoedd yn wreiddiol. Yma, mae e'n siarad am ei waith...

Pam oeddech chi eisiau bod yn ddeintydd?

Achos 'dych chi'n cwrdd â llawer o bobl. 'Dych chi'n eu helpu nhw gyda sut maen nhw'n edrych a gyda'u poen. Hefyd, roeddwn i'n chwarae rygbi. Mae bod yn ddeintydd yn swydd naw tan bump ac roedd hyn yn help mawr pan o'n i'n chwarae.

Ond mae pobl yn ofni'r deintydd!

Mae hynny'n sialens fawr! Fel arfer, mae pobl yn ofnus achos maen nhw wedi cael profiadau drwg pan oedden nhw'n blant. Nawr, 'dyn ni'n cael llawer o hyfforddiant ar sut i helpu pobl ofnus.

'Dych chi'n hoffi mynd at y deintydd?

Nac ydw! Dw i wedi cael llawer o driniaeth fy hun. Ces i ddamwain beic pan o'n i'n 7 oed. Roedd rhaid tynnu rhai o 'nannedd ac roedd rhaid i fi gael *braces* a phontydd. Gwelais i'r pethau da mae deintyddion yn gallu gwneud. Meddyliais i, 'Os galla i wneud yr un peth i bobl eraill bydd e'n rhoi pleser mawr i mi.'

'Dych chi'n mynd at y deintydd yn rheolaidd nawr?

Ydw. Dw i'n dal i gael triniaeth ar ôl y ddamwain. Mae gen i bont ar flaen fy ngheg. Mae hi'n torri weithiau.

Beth 'dych chi'n ei wneud yn eich gwaith?

Dw i'n gwneud llawer o bethau gwahanol. Dw i'n tynnu canser o'r geg. Dw i'n tynnu croen o'r fraich neu'r goes a'i roi yn y geg.

Sut mae gofalu am fy nannedd i?

Ewch at y deintydd bob chwe mis.
Brwsiwch eich dannedd chi ddwywaith y dydd.
Peidiwch â bwyta siwgr yn rhy aml.
Yfwch ddiodydd deiet yn lle rhai llawn siwgr.

Beth i'w ddweud... yn y ddeintyddfa

Chi: Mae'r ddannodd arna i.
Aw!
Diolch, dw i'n teimlo'n well nawr.

Y deintydd: Ble mae'r boen?
Mae angen triniaeth arnoch chi.
Agorwch eich ceg!

Geiriau

ofni – *to be scared of*
sialens – *a challenge*
profiad,au – *experience,s*
hyfforddiant – *training*
triniaeth – *treatment*
yr un peth – *the same*
rheolaidd – *regularly*
dannodd – *toothache*

Gair cudd

Beth 'dych chi'n ei wylio ar y teledu? Atebwch y cwestiynau i gyd a ffeindiwch y gair cudd.

1. Set o raglenni sy ar y teledu bob wythnos, fel *Doctor Who*.
2. Drama am deuluoedd. 'Dych chi'n ei ddefnyddio fe i olchi hefyd.
3. Doniol, trist neu gyffrous. 'Dych chi'n bwyta popcorn wrth wylio hwn.
4. Dyna ydy rygbi, pêl-droed a chriced.
5. Rhaglen am fywyd go iawn.
6. Beth sy'n digwydd yn y byd heddiw? Gwyliwch y rhaglen hon.

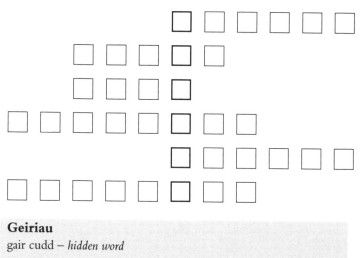

Geiriau

gair cudd – *hidden word*

Help i gadw'n heini

Mae gwneud mwy o ymarfer corff yn ffordd wych o losgi calorïau... ac mae yna ffyrdd rhad iawn o ymarfer corff hefyd...

Dewch am dro

Beth?

Mae cerdded yn ffordd dda o gadw'n heini a cholli pwysau.

Pam?

Mae'n dda i'r galon ac mae'n cadw pwysedd y gwaed yn isel. Mae'n dda i'r system imiwnedd hefyd – ac mae'r system imiwnedd yn eich helpu chi i beidio â mynd yn sâl. Mae'n ffordd wych o gael gwared ar densiwn yn y corff. Mae'n eich helpu chi i gysgu'n dda hefyd.

Sut?

Mae meddygon yn awgrymu y dylech chi gerdded 10,000 o gamau bob dydd. Felly, beth am gerdded i'r gwaith? Beth am fynd am dro amser cinio? Beth am gerdded i fyny'r grisiau yn lle defnyddio'r lifft?

45

Hefyd, mae digon o lwybrau cyhoeddus a pharciau cenedlaethol bendigedig yng Nghymru – lleoedd gwych ar gyfer cerdded!

Calorïau: 'Dach chi'n llosgi tua 300 o galorïau os 'dach chi'n cerdded yn gymedrol am awr.

Geiriau

colli pwysau – *to lose weight*
pwysedd y gwaed – *blood pressure*
system imiwnedd – *immune system*
cael gwared ar densiwn – *to get rid of tension*
awgrymu – *to suggest*
cam,au – *step,s*
cyhoeddus – *public*
yn gymedrol – *at a moderate pace*

Sbort yn seiclo

Beth?

Mae seiclo'n ffordd wych o gadw'n heini ac yn iach – ac mae'r teulu i gyd yn medru mwynhau.

Pam?

Os 'dach chi'n seiclo 20 milltir yr wythnos, mae llai o risg o glefyd y galon. Hefyd, efo pris petrol mor ddrud, mae'n ffordd rad o deithio o A i B – ac mae'n dda i'r amgylchedd!

Sut?

Mae digon o lwybrau beicio o gwmpas Cymru. Mae'n bosib llogi beiciau'n lleol a defnyddio canolfannau hamdden ar gyfer parcio, ystafelloedd newid a chawodydd.

Calorïau: 'Dach chi'n llosgi tua 450 o galorïau mewn awr.

Geiriau

amgylchedd – *environment*
llogi – *to hire*

Sblish sblash!

Beth?
Mae nofio'n ymarfer corff gwych i bob oed.

Pam?
Mae'n helpu i gadw'r ysgyfaint a'r galon yn gryf. Mae'n eich helpu chi i anadlu'n well drwy adael i fwy o ocsigen fynd i'r cyhyrau. Mae llai o risg o gael anafiadau wrth nofio – 'dach chi ddim yn rhoi straen ar yr esgyrn a'r cymalau. Mae'n ffordd dda o gael hwyl efo ffrindiau a chyfarfod â phobl newydd!

Sut?
Yn ystod gwyliau'r ysgol, mae plant 16 oed ac iau yn cael defnyddio eu pwll nofio lleol yn rhad ac am ddim. Mae nofio am ddim i bobl dros 60 oed hefyd. Mae nifer o sesiynau llawn hwyl ar gael fel aerobics dŵr, snorclo, polo dŵr, canŵio, disgos dŵr a sesiynau achub bywyd.

Calorïau: 'Dach chi'n llosgi tua 420 mewn awr, yn dibynnu pa mor gyflym 'dach chi'n mynd.

Geiriau
ysgyfaint – *lungs*
anadlu – *to breathe*
cyhyr,au – *muscl,es*
anaf,iadau – *injury, injuries*
asgwrn, esgyrn – *bone,s*
cymal,au – *joint,s*

'Dach chi'n llosgi calorïau pan 'dach chi'n gwneud pethau syml bob dydd:

Brwsio dannedd – 15 o galorïau mewn 5 munud
Siarad ar y ffôn – 37 o galorïau mewn 30 munud
Coginio – 95 o galorïau mewn 30 munud

Iechyd da!

* Dylech chi drio gwneud 30 munud o ymarfer corff 5 gwaith yr wythnos.
* Mae noson dda o gwsg yn bwysig iawn. Triwch gael o leia 7 i 8 awr a pheidiwch ag yfed alcohol a chaffîn am o leia 3 awr cyn mynd i gysgu.
* Peidiwch â bwyta yn hwyr yn y nos. Ceisiwch fwyta'ch swper chi cyn 6 o'r gloch.
* Bwytwch ddigon o ffrwythau a llysiau – o leia 5 y dydd.
* Peidiwch ag yfed gormod o de na choffi. Dydy caffîn ddim yn dda i chi.
* Yfwch o leia 6 i 8 gwydraid o ddŵr bob dydd.
* Gwenwch! Mae hyn yn gwneud i chi deimlo'n dda ac yn hapus!

Ddim yn fêl i gyd

Mae newyddion drwg i bobl sy'n hoffi mêl... ac i bobl sy'n cadw gwenyn... Yn gynta, hafau gwlyb... ac, yn ail, salwch sy'n lladd gwenyn.

Enw'r peth sy'n achosi salwch ydy *nosema ceranae*. Mae e'n effeithio ar stumog y gwenyn ac yn eu lladd nhw.

"Mae llawer o bobl wedi colli hanner eu gwenyn ac mae pobl eraill wedi colli eu gwenyn i gyd," meddai Gerald Cooper o Fferm Fêl Cei Newydd.

Felly, beth ydy'r effaith ar bobl sy'n hoffi mêl? Mae llai o fêl cartre ar werth ac efallai y bydd prisiau mêl cartre yn codi.

"Wrth i bobl ddechrau mwynhau rhinweddau mêl lleol mae'n mynd yn anodd ei gael," meddai Gerald Cooper.

Fydd pethau'n gwella? Byddan, os cawn ni haf da eleni.

Geiriau
yn fêl i gyd – *all sweetness and light (idiom)*
gwenyn – *bees*
effeithio – *to affect*
rhinwedd,au – *benefit,s*
os cawn ni – *if we have*

Pam mae mêl yn dda i chi?

Mae rhoi mêl ar fwyd yn hen, hen ffordd o wneud pethau'n felys.
Mae llawer o fitaminau mewn mêl. Os 'dych chi'n alergaidd i rywbeth, bwytwch fêl lleol. Mae mêl yn dda i'r gwallt hefyd, medden nhw. Sut mae ei ddefnyddio, 'te?
Cymysgwch e gydag olew'r olewydd ac, yna, golchwch eich gwallt yn dda.
Maen nhw'n rhoi mêl ar losgiadau yn Irac.

Beth arall sy'n dda gyda mêl?

Mae llawer o fwynau, proteinau a rhai fitaminau mewn Royal Jelly.

Mae'n bosib prynu mêl arbennig gyda Royal Jelly ynddo fe. Yna, gallwch chi ei fwyta fe ar eich tost neu ei roi e yn eich te yn lle siwgr.

Mae paill yn dda i'r iechyd. Gallwch chi brynu mêl gyda phaill neu gallwch chi brynu paill yn rhydd a'i roi e ar eich grawnfwyd yn y bore.

Mae seidr finegr a mêl yn dda i arthritis.

Mae hufen iâ enwog yn Aberaeron – hufen iâ mêl. Dechreuodd teulu Holgate ei wneud e yn 1970. Gallwch chi ei brynu e o Hive on the Quay yn Aberaeron – mewn sawl blas gwahanol. Maen nhw'n gwneud hufen iâ soia hefyd.

Roedd yr hen Gymry'n yfed cwrw mêl o'r enw medd. Roedden nhw'n ei yfed e cyn mynd i frwydro ac roedd e'n eu gwneud nhw'n ddewr. Mae cerdd enwog am filwyr yn yfed medd cyn brwydro yng Nghatraeth (Catterick heddiw). Collon nhw – achos y medd, efallai!

Geiriau

alergaidd i – *allergic to*
olew'r olewydd – *olive oil*
llosg,iadau – *burn,s*
mwyn,au – *mineral,s*
paill – *pollen*
rhydd – *loose*
grawnfwyd – *cereal*
medd – *mead*
brwydro – *to fight a battle*
dewr – *brave*
milwr, milwyr – *soldier,s*

Calan Gaeaf – Parti'r hen Gymry

Ble mae dechrau? Yn oes y Celtiaid roedd y calendr yn rhannu'n ddau – yr haf golau a'r gaeaf tywyll. Roedd y gaeaf tywyll yn dechrau ar Dachwedd y 1af. Roedd y cynhaeaf wedi bod ac roedd pobl yn dod at ei gilydd i baratoi am y gaeaf.

Oedd bwyd yn rhan bwysig o'r dathlu? Mae bwyd yn rhan bwysig o bob parti da! Roedd y Celtiaid yn 'rhoi' bwyd i'r meirw hefyd i gofio am eu cyndadau.

Beth am grefydd? Roedd yr eglwys yn bendithio seintiau ar ŵyl Calan Gaeaf. Tachwedd y 1af oedd Dydd yr Holl Saint neu 'Hollomass' yn Saesneg. Daeth 'Hollomass' yn 'Hallowe'en'.

Beth arall oedden nhw'n ei wneud? Gwisgo dillad o grwyn anifeiliaid a chario lanterni wedi eu gwneud o faip.

Roedden nhw'n llenwi casgen efo dŵr a rhoi afalau yn y dŵr. Roedden nhw'n trio dal afal efo'u dannedd achos roedden nhw'n credu bod y meirw yn gwneud hyn wrth iddyn nhw groesi i'r byd arall.

Roedden nhw'n cael coelcerth cyn Guto Ffowc. Roedd rhywun yn actio'r 'Hwch Ddu Gota' ac roedd yr Hwch yn rhedeg ar ôl pawb. Roedd hi'n bwyta pawb roedd hi'n ei ddal.

Llun: Eric Jones

Ysbryd Drwg

Roedd hi'n hanner nos ar Galan Gaeaf ac roedd hi'n dawel yn yr eglwys. Doedd o ddim yn dod eleni, efallai. Dyna roedd pobl yn gobeithio.

Yna, daeth llais o borth yr eglwys.

"David Jones Pantyrodyn. Maggie Jones Bwthyn Uchaf. John Elis Dôl Medi."

Aeth ias drwy'r bobl yn yr eglwys.

"Pwy oedd hwnna? Pam oedd o'n dweud enwau pobl?" gofynnodd bachgen ifanc i'w fam.

"Yr Ysbryd Drwg oedd hwnna. Roedd o'n dweud enwau pobl fydd yn marw yn ystod y flwyddyn." Roedd y fam yn crio.

Aeth ias drwy'r bachgen hefyd. John Elis oedd ei enw o.

Geiriau

Calan Gaeaf – *Hallowe'en*
oes y Celtiaid – *the age of the Celts*
rhannu – *to split*
cynhaeaf – *harvest*
y meirw – *dead people*
cyndadau – *ancestors*
crefydd – *religion*
bendithio – *to bless*
croen, crwyn – *skin,s*
meipen, maip – *turnip,s*
casgen – *barrel*
wrth iddyn nhw groesi – *as they crossed*
coelcerth – *bonfire*
hwch – *sow*
Ysbryd Drwg – *the Devil*
porth yr eglwys – *the church door*
ias – *a cold shiver, a sense of fear*

Pos – pwy sy'n briod â phwy?

Mae chwech o ffrindiau yn mwynhau swper gyda'i gilydd. Ond pwy sy'n briod â phwy – a phwy sy ddim yn briod? Darllenwch y wybodaeth i gyd. 'Dych chi'n gallu dyfalu?

Pwy ydy'r bobl: Huw, Dyfed, Elis, Marged, Gwenno a Siân.

Mae Marged yn nabod Huw a Dyfed ers pan oedden nhw yn y Coleg.

Dyw Gwenno byth yn gwisgo modrwy.

Dyw Elis ddim yn gwisgo modrwy pan mae'n coginio.

Roedd Dyfed yn arfer gwisgo modrwy.

Mae Siân wrth ei bodd â choginio ei gŵr.

Priododd Huw yn syth ar ôl graddio o'r Coleg.

Geiriau
gwybodaeth – *information*
modrwy – *ring*
graddio – *to graduate*
ysgariad – *divorce*
sengl – *single*

Ateb: Mae Marged a Huw yn briod. Mae Dyfed wedi cael ysgariad. Mae Elis a Siân yn briod. Mae Gwenno yn sengl.

Mynd ar daith

"Gwyliau da?"

"Gwych!"

"Hoffwn i gael lliw haul fel eich lliw haul chi. A 'dych chi'n edrych wedi ymlacio'n llwyr."

"Ydw. Roedd hi'n anodd dod yn ôl i'r gwaith heddiw…"

Troiodd hi'r cyfrifiadur ymlaen a dechrau agor y negeseuon e-bost. Ro'n nhw wedi tyfu fel madarch dros y pythefnos diwetha. Doedd dim llawer ohonyn nhw'n bwysig. Roedd pobl yn rhy barod i roi'r peth cynta oedd ar eu meddwl ar sgrin. Ro'n nhw wedi anghofio beth oedd tawelwch go iawn.

Roedd hi'n barod am ei phaned erbyn canol bore. Roedd hi'n falch o'r brêc, ond yn teimlo ychydig yn nerfus hefyd. Fe fyddai'r ysgrifenyddesau eraill eisiau'r hanes i gyd. Fe fydden nhw'n siŵr o dynnu coes, holi oedd hi wedi cyfarfod â dyn ifanc golygus. Oedd hi wedi cael sws ramantus dan sêr Tuscany? Dyma'r unig adeg o'r flwyddyn roedd hi'n cael y fath sylw. Doedd merched sengl dros eu pedwardeg oed ddim yn ddiddorol iawn fel arfer. Do'n nhw

byth i'w gweld ar dudalennau *Heat*, ac yn sicr ddim ar deledu Cymraeg!

"Beth wnaethoch chi fwynhau orau? Sut oedd y dalent leol?" Wendy, y fwya siaradus ohonyn nhw, yn wincio.

A dyma hi'n dechrau disgrifio canol Fflorens – ciwio i fynd mewn i'r Uffizi, edrych ar Fenws yn ei chragen, lliwiau'r stondinau ar y Ponte Vecchio. Ac, wrth gwrs, cerflun Dafydd. Chafodd hi ddim disgrifio'r dyn hardd hwnnw. Ro'n nhw wedi dechrau rhoi'r cwpanau yn y sinc a siarad am beth oedd ar y teledu.

Roedd y diwrnod yn hir ac roedd hi'n falch o ddod adre. Tawelwch o'r diwedd – ond am rwndi cynnes Mimi'r gath. Edrychodd ar y bwrdd yn y gegin. Gwelodd y llyfrau taith a'r catalogau lliw o Tuscany. Gwelodd y nodiadau roedd hi wedi eu sgrifennu dros y pythefnos diwetha. Roedd manylion bach yn bwysig iawn.

Ar ôl swper, taflodd y cyfan i fag bin du, gyda'r botel lliw haul ffug... Diolch byth! Dyna hynny drosodd am flwyddyn arall! Roedd teithio yn y dychymyg mor flinedig. Ond fyddai Wendy a'r criw ddim yn deall hynny...

Annes Glynn

Geiriau

madarch – *mushrooms*
y fath sylw – *such attention*
disgrifio – *to describe*
yn ei chragen – *in her shell*
cerflun – *statue*
balch – *glad*
grwndi – *purring*
lliw haul ffug – *fake tan*
dychymyg – *imagination*
blinedig – *tiring*

Pwy sy'n plannu?

'Dych chi'n cofio'r gyfres deledu *The Good Life* yn y 70au? Roedd Richard Briers a Felicity Kendal yn chwarae Tom a Barbara Good oedd yn tyfu eu llysiau eu hunain ac yn cadw ieir a moch yn yr ardd.

Rŵan, mae hi'n 2012 ac mae pobl ar draws Cymru isio bod fel Tom a Barbara. Mae'r wasgfa ariannol yn effeithio ar bawb a 'dyn ni i gyd yn chwilio am ffyrdd o arbed arian.

Mae materion gwyrdd yn bwysig i bobl hefyd ac mae tyfu llysiau'n well i'r amgylchedd na mynd i'r siop i brynu llysiau sy wedi teithio miloedd o filltiroedd o wledydd eraill. Pan 'dach chi'n tyfu eich llysiau eich hunain, 'dach chi'n gwybod beth sy ynddyn nhw. Mae nifer o gemegolion yn cael eu defnyddio i dyfu'r llysiau sy ar werth yn yr archfarchnadoedd.

Mae Ioan Thomas o Bontypridd yn tyfu ei lysiau ei hun am y tro cynta. Mae e'n mwynhau bod allan yn yr awyr agored ac mae garddio'n ffordd dda o gadw'n heini.

"Y peth cynta i'w wneud oedd clirio'r chwyn a pharatoi'r pridd. Fel nifer o dai yn y Cymoedd mae'r ardd ar ochr bryn. Felly, dechreuais i trwy symud y pridd i wneud yr ardd yn fflat.

"Paratoi'r tir ydy'r gwaith caled a rhaid cadw llygad ar y malwod yn y tywydd gwlyb. Dw i wedi plannu pys, ffa, tatws newydd, cennin, bitrwt a letys a dw i'n edrych ymlaen at eu bwyta nhw!"

Mae Russell Jones yn garddio ers pan oedd o'n hogyn ifanc. Mae o'n tyfu llysiau a pherlysiau yn ei ardd yn Rhosgadfan.

Mae o'n gwahodd gwylwyr i'w ardd o ar y rhaglen *Byw yn yr Ardd* ar S4C.

"Mae tyfu llysiau'n hawdd!" meddai Russell. "Does dim isio lot o le a does dim isio gwario lot chwaith. Gallwch chi brynu planhigion ar gyfer yr ardd neu hau hadau."

Mae gan Russell lawer o gyngor am sut mae tyfu eich llysiau eich hunain. Gallwch chi ddysgu llawer iawn trwy fynd i weld gardd rhywun profiadol neu ddarllen llyfrau garddio hefyd:

Tip 1 – Os ydy'r ardd yn fach, defnyddiwch hen botiau, hen deiars a hen sinc y gegin i dyfu llysiau.

Tip 2 – Edrychwch ar liw'r pridd. Mae pridd tywyll â phlanhigion deiliog yn tyfu arno fe yn dda i dyfu llysiau. Mae pridd golau sy'n llawn cerrig yn wych ar gyfer tyfu perlysiau.

Tip 3 – Mae'n bosib tyfu llysiau rhwng y blodau. Plannwch letys a bresych.

Tip 4 – Mae'r jac-y-dos yn niwsans weithiau achos maen nhw'n bwyta planhigion pys a ffa. Dechreuwch dyfu'r planhigion yma mewn potiau ar y sil ffenest neu mewn tŷ gwydr ac yna plannwch nhw yn yr ardd pan maen nhw tua 6 modfedd. Mae'n rhaid rhoi rhwydi dros y planhigion.

Geiriau

gwasgfa ariannol – *recession*

mater,ion – *matter,s*

amgylchedd – *environment*

ynddyn nhw – *in them*

chwyn – *weeds*

pridd – *soil*

malwen, malwod – *snail,s*

ffa – *broad beans*

perlysiau – *herbs*

gwahodd – *to invite*

gwyliwr, gwylwyr – *viewer,s*

hau hadau – *to sow seeds*

planhigion deiliog – *leafy plants*

tŷ gwydr – *greenhouse*

rhwyd,i – *net,s*

Ar y môr

Dyna'r nifer fwya o bobl welodd Nel erioed. Ro'n nhw ym mhob man, fel morgrug.

Gwyliodd nhw'n symud i lawr i'r doc gan glebran, gweiddi a gwthio. Roedd bagiau trwm ganddyn nhw.

Cydiodd Nel yn dynn yn llaw ei brawd. Tynnodd John hi trwy'r holl bobl ac i lawr i lan y dŵr.

Cydiodd John yn dynn yng nghês Nel. Cydiodd Nel yn dynn yn ei het goch newydd. Yna, dyma nhw'n gwau eu ffordd i flaen y doc.

Roedd arogl cig moch a nionod yn ffrio yn yr awyr. Ac roedd Nel yn gallu arogli mwg sigaréts, chwys a halen y môr.

Roedd cŵn yn cyfarth a cheir yn canu corn. Roedd pobl yn canu'n feddw i gerddoriaeth band pres.

Dyma John a Nel yn cyrraedd y llong o'r diwedd. Am eiliad, do'n nhw ddim yn gallu dweud dim byd. Ro'n nhw'n syllu'n syn ar y llong anferth. Dyma'r llong fwya ro'n nhw wedi ei gweld erioed.

Roedd paent glas tywyll a gwyn y llong yn sgleinio yn yr haul. Roedd ei chyrn hi'n codi i'r awyr. Am long urddasol!

Doedd Nel erioed wedi bod ar daith long o'r blaen. A doedd hi erioed wedi teithio ar ei phen ei hun. Roedd ei stumog yn troi.

"Ydy popeth gen ti?" gofynnodd John.

"Ydy."

Roedd John yn gwybod – mae fy chwaer fach i'n nerfus.

"Fyddi di'n iawn. Bydd Glyn yn aros amdanat ti y pen arall."

Nodiodd Nel. Allai hi ddim aros i weld Glyn. Ro'n nhw'n briod ers chwe mis. Roedd tri mis a phedwar diwrnod ers i Glyn symud i Efrog Newydd. Roedd o wedi cael gwaith fel teiliwr yn Efrog Newydd. Roedd o wedi rhentu fflat bach efo dwy ystafell wely. Roedd o wedi clywed am waith mewn siop hetiau i Nel. Roedd Nel yn edrych ymlaen i ddechrau eu bywyd newydd.

"Bydda i'n dy golli di, John," meddai gan droi at ei brawd.

"Beth? Fydda i'n hwylio draw atoch chi – y munud bydd gen i ddigon o arian i brynu tocyn!" Gwenodd John arni hi.

"Wna i ddim llogi'r ystafell sbâr i neb!" tynnodd Nel ei goes.

"Na – neu fydd yna le!"

Chwarddodd y ddau a chofleidio'n dynn.

"Cofia fi at Glyn," meddai John. "A wela i chi'ch dau cyn bo hir."

Gwenodd Nel a chodi ei chês. Cerddodd i fyny'r ffordd am fwrdd y *Titanic*.

Gwenno Hughes

Geiriau
morgrug – *ants*
clebran – *chatting*
gwthio – *to push*
trwm – *heavy*
yn dynn – *tightly*
gwau eu ffordd – *to weave their way*
nionyn, nionod (gog) = winwnyn, winwns (de) – *onion,s*
chwys – *sweat*
yn feddw – *drunkenly*
band pres – *brass band*
syllu'n syn – *to stare in astonishment*
anferth – *huge*
sgleinio – *to shine*
urddasol – *dignified*
teiliwr – *tailor*
dy golli – *to miss you*
hwylio – *to sail*
cofleidio – *to hug*
bwrdd – *deck*

Bylbiau a bihafio

Dyma gyngor Mererid Hopwood ar sut i ddysgu iaith...

Fy mamiaith i ydy'r Gymraeg, ond dw i'n gallu cydymdeimlo gyda darllenwyr y llyfr hwn achos dw i wedi dysgu ieithoedd eraill. Dw i'n gwybod sut deimlad ydy e i fynd drwy ffeiliau'r ymennydd yn chwilio am eiriau'n gyflym. Dw i'n gwybod sut deimlad ydy e i fethu dod o hyd i'r gair cywir!

"A ver si adivinas cuantos años tiene mi padre." Dyna'r frawddeg gynta ddysgais i yn Sbaeneg a dw i'n ei chofio hi. Dyma beth mae hi'n ddweud: "Gad i mi weld wyt ti'n gallu dyfalu beth ydy oed fy nhad."

Doedd y geiriau yma ddim yn llawer o help pan gyrhaeddais i ysgol 'Cerrado de Calderón' yn Málaga, yn Andalucia, i fod yn athrawes Saesneg, yn ôl ym mis Ionawr 1983!

Roedd y dosbarthiadau'n orlawn a'r disgyblion, ar y cyfan, yn ddrwg a heb lawer o ddiddordeb mewn dysgu.

Roedd y dirprwy brifathro'n ddyn llym iawn. Roedd pawb yn ei ofni e... hyd yn oed yr athrawon. Un diwrnod, daeth e i mewn i'r ystafell ddosbarth fel taran. Penderfynais i ei gyfarch e'n gwrtais gan ddweud yn hapus: "Buenos dias, Don Bombilla!"

Tawelwch! Neb yn dweud gair. Heb ddweud unrhyw beth, aeth Don Bombilla o'r ystafell â'i ben moel yn sgleinio'n goch.

Roeddwn i'n gwybod yn syth, "Dw i wedi gwneud camgymeriad mawr." Ond doeddwn i ddim yn gweld sut.

Ar ôl holi'r dosbarth, deallais i. Enw'r plant ar y dyn oedd 'Don Bombilla'. Don Enrique oedd ei enw iawn e. Ystyr 'bombilla' ydy bwlb golau ac roedd pen moel Don Enrique fel bwlb.

Wps! Sut yn y byd mawr gallwn i wybod y gair Sbaeneg am beth mor rhyfedd â 'bwlb golau'?!! Doeddwn i ddim yn gwybod y gair Sbaeneg am fara na menyn!

Dw i'n cofio stori arall. Gwahoddais i awdur enwog o'r Almaen i'r tŷ am ginio dydd Sul. Daeth e a'i deulu i gyd – ac roedd pawb wrth eu bodd yn eistedd o gwmpas y bwrdd.

Roeddwn i eisiau i bawb ddechrau bwyta. Ond o diar! Yn fy nerfusrwydd, dyma fi'n dweud "Bitte, *benehmen* Sie sich," yn lle "Bitte, *bedienen* Sie sich." Trwy'r un camgymeriad bach hwnnw, roeddwn i wedi dweud wrthyn nhw am fihafio'u hunain, yn lle helpu eu hunain!

Dw i'n aml yn dweud y straeon yma wrth fy nisgyblion yn y Brifysgol yn Abertawe ac yn Ysgol Bro Myrddin, Caerfyrddin… wedi'r cyfan, yr unig ffordd o ddysgu siarad iaith ydy mentro… a gwneud camgymeriadau! Byddwch yn ddewr! Mentrwch! A bihafiwch… pob copa walltog a moel!

Wyddoch chi?

Mae Mererid Hopwood yn Brifardd, sef bardd sy wedi ennill coron neu gadair yn yr Eisteddfod Genedlaethol – y prif fardd. Enillodd hi Gadair yr Eisteddfod Genedlaethol yn 2001 – y fenyw gynta erioed. Enillodd hi Goron yr Eisteddfod Genedlaethol yn 2003 a'r Fedal Ryddiaith yn 2008 am ei nofel, *O Ran*.

Geiriau

mamiaith – *mother tongue*
cydymdeimlo – *to sympathize*
ymennydd – *brain*
methu – *to fail*
cywir – *correct*
dyfalu – *to guess*
gorlawn – *full to the brim*
disgybl,ion – *pupil,s*
ar y cyfan – *on the whole*
dirprwy – *deputy*
llym – *strict*
taran – *thunder*
cyfarch – *to greet*
sgleinio – *to shine*
camgymeriad – *mistake*
mentro – *to venture, dare*
copa – *crown of head*
gwalltog – *hairy*
pob copa walltog – *every single one* (*idiom*)
bardd – *poet*
Y Fedal Ryddiaith – *Prose Medal*

Mae chwe llyfr yn y gyfres Ar Ben Ffordd i gyd.
Dyma'r camau nesa i ddarllenwyr *Mynd Amdani* –
Lefel Sylfaen, *Nerth dy Draed* a Lefel Canolradd,
Ar Garlam:

y|**L**olfa

TALYBONT, CEREDIGION, CYMRU SY24 5HE
e-bost: ylolfa@ylolfa.com
y we: www.ylolfa.com
ffôn: 01970 832304
ffacs: 01970 832782